folio benjamin

A nos mères

Traduit de l'anglais par Pascale Jusforgues

ISBN : 2-07-052680-1
Publié par Andersen Press Ltd., Londres
Titre original : *The Wise Doll*

Numéro d'édition : 90534
Dépôt légal : mai 1999
Loi n° 49-956 du 16 juillet 1949
sur les publications destinées à la jeunesse
Imprimé en Italie par Editoriale Lloyd

Gallimard Jeunesse

La sorcière aux trois crapauds

Écrit par Hiawyn Oram
Illustré par Ruth Brown

folio . benjamin

Il était une fois une sorcière appelée Baba Yaga.
– Vous êtes vraiment laide à faire peur!
lui disaient souvent ses fidèles crapauds.
– Je l'espère bien, répondait alors Baba Yaga.
Je suis là pour ça!

Un jour, en regardant
dans sa boule de cristal,
Baba Yaga vit apparaître trois
petites filles. C'étaient Toute-Douce,
Toute-Vilaine et Toute-Méchante.
– Je sais déjà laquelle des trois viendra
bientôt me rendre visite, dit la sorcière.

Au même moment, Toute-Vilaine et
Toute-Méchante décidèrent de chasser
Toute-Douce hors de la maison.
– Nous ne voulons pas de toi ici. Va-t'en!
Tu es trop gentille pour jouer avec nous.
– Je sais bien que vous ne m'aimez pas,
répondit Toute-Douce. Mais je ne peux
pourtant pas rester toute seule.

Que vais-je devenir ?
– Tu n'as qu'à aller dans la forêt,
lui lança Toute-Vilaine.
– C'est ça ! ajouta Toute-Méchante.
Va donc voir Baba Yaga et rapporte-nous
l'un de ses crapauds parés d'or et de bijoux.
Si tu y arrives, alors nous te laisserons
peut-être revenir à la maison.

Cette nuit-là, Toute-Douce alla chercher
la poupée que sa mère lui avait donnée
juste avant de mourir.
– Que vais-je faire ? lui demanda-t-elle.
Je n'ai pas envie de rester ici... mais
je n'ai pas envie de partir non plus.
– Personne ne peut rester et partir
en même temps, répondit la poupée.

Aussi, mets-moi dans ta poche
et écoute bien les conseils
que je te donnerai en temps utile.
Et maintenant, en route!
Toute-Douce partit donc avec
sa petite poupée en poche.
Du plus profond de la forêt,
Baba Yaga la sentit arriver.

Elle fronça
son long nez crochu et
retroussa son menton pointu,
si bien que son profil prit
la forme d'un terrifiant
croissant de lune.
Après avoir rassemblé son balai,
son chaudron et ses trois crapauds,
elle ordonna à sa cabane de déplier
ses longues pattes de poulet,
et toute la maisonnée partit
au-devant de la fillette.

Quand Toute-Douce vit la maison
s'approcher d'elle en courant et Baba Yaga
pointer la tête hors de la cheminée,
elle sentit ses jambes flageoler.
– Je n'y arriverai jamais, dit-elle, effarée.

– Mais si, tu y arriveras, chuchota
la poupée du fond de sa poche. Il suffit
d'aller frapper à la porte et tout ira bien.
Toute-Douce alla donc frapper à la porte
de la maison.

– Que veux-tu ?
glapit la sorcière.
La fillette resta
muette de terreur.
– Bah ! Cela n'a
aucune importance,
poursuivit
Baba Yaga.
De toute façon,
on n'a rien pour rien.
Si tu veux
quelque chose,
il te faudra
travailler
pour l'avoir.

Sur ce, la sorcière désigna une montagne
de vaisselle sale et une énorme pile
de linge à laver.
– Que tout soit fait demain matin, ou bien
Chaudron te fera cuire à gros bouillons !

Aussitôt, Toute-Douce se mit au travail.
Elle lava, frotta et repassa toute la nuit.
Mais les heures passèrent et elle commença
à trembler de peur.

– Je n'y arriverai jamais, dit-elle
à la poupée. Je vais finir dans
le chaudron, c'est sûr et certain.
– Mais si, tu y arriveras, reprit
la poupée du fond de sa poche.

Tu pourrais même le faire en dormant.
D'ailleurs, va te coucher et tout ira bien.
Toute-Douce alla donc s'allonger dans
un coin et la poupée fit le travail
à sa place.

Le lendemain matin, à son réveil, Baba Yaga n'en crut pas ses yeux mais elle n'en laissa rien paraître. Dans la cour, elle montra du doigt un énorme tas de terre et dit à Toute-Douce:

– Trie pour moi toutes les graines de coquelicot qui se sont mélangées à cette terre. Si tu n'as pas terminé en fin de journée, mes crapauds te croqueront toute crue.

La fillette se mit aussitôt au travail. Mais les heures passèrent et elle commença à trembler en voyant le soleil baisser dans le ciel.

– Je n'y arriverai jamais en un seul jour...
ni même en mille, soupira-t-elle.
Je vais finir dans le ventre
des crapauds, c'est sûr.

– Mais si, tu y arriveras, murmura
la poupée du fond de sa poche.
Tu pourrais même le faire
les yeux fermés et les mains liées.

D'ailleurs, repose-toi un instant
et tu verras, tout ira bien.
Toute-Douce alla donc s'asseoir
à l'ombre, puis elle ferma les yeux
et la poupée fit le travail à sa place.

Quand Baba Yaga revint de sa promenade
en forêt, elle n'en crut pas ses yeux mais
elle n'en laissa rien paraître. Elle conduisit
Toute-Douce vers le cellier et lui dit,
en montrant une montagne de victuailles:

– Prépare-nous un magnifique festin ! Quand tu auras fini, tu viendras dîner avec moi.

Quand tous les plats furent prêts
et que la table fut mise, Toute-Douce
prit place en face de Baba Yaga.

Les yeux de la sorcière brillaient
comme des charbons ardents.
– Maintenant, fillette, gronda-t-elle,
réponds-moi correctement ou bien
je te mangerai en entrée ! Pourquoi
es-tu venue chez moi ?

Toute-Douce ouvrit la bouche pour avouer : « Je suis venue chercher l'un de vos crapauds. »

Mais elle sentit la poupée s'agiter au fond de sa poche et comprit ce qu'elle voulait lui dire. Et tandis que Baba Yaga l'observait de ses yeux brûlants, Toute-Douce répondit calmement :
– Je suis venue ici pour avoir peur, pardi, puisque vous êtes là pour ça !

Baba Yaga n'en crut pas ses oreilles mais, cette fois, elle ne chercha pas à cacher sa surprise. Elle sauta sur la table à pieds joints, puis entraîna balai, chaudron et crapauds dans une folle farandole.

– Voilà la réponse que j'attendais, fillette! Je vois qu'avec toi la sagesse n'attend point le nombre des années. Comment as-tu fait pour passer toutes ces épreuves avec succès?

– Eh bien... c'est grâce
à un cadeau de ma maman,
déclara Toute-Douce.

– Ah ah ! gloussa la sorcière.
Un cadeau en appelle un autre. Tiens !
Et elle lui fit présent d'un de ses trois
crapauds. Il portait une cape brodée
de perles fines, un collier de diamants
et une longue laisse sertie d'émeraudes.

Toute-Douce rentra donc chez elle
avec son précieux cadeau.
En la voyant arriver, Toute-Vilaine
et Toute-Méchante n'eurent même pas
le temps de dire un mot, car le crapaud ouvrit
une large gueule et…

Gloup ! Gloup !
Il n'en fit que deux bouchées.
Puis il repartit à grands bonds
vers la forêt.

Depuis ce jour-là, Toute-Douce
cessa de se montrer trop bonne
– ce qui n'a rien d'étonnant après
tout ce qui lui était arrivé.
Elle devint donc une petite fille
gentille… mais pas trop gentille.

Hiawyn Oram est née en Afrique du Sud, à Johannesburg, où elle a passé son enfance. Après avoir suivi des études d'anglais et d'art dramatique, elle est devenue comédienne. Elle s'est ensuite installée en Angleterre où elle a exercé toutes sortes de métiers. Elle a écrit notamment : *La Fête de Benjamin Blaireau*, *Princesse Camomille* et *Pauvre Petit Géant* aux Éditions Gallimard Jeunesse.

Illustratrice depuis sa sortie du Royal College of Art, **Ruth Brown** a longtemps travaillé dans les émissions télévisées destinées aux enfants. Mais elle a toujours souhaité écrire et illustrer ses propres livres, ambition qu'elle a enfin pu réaliser en 1978. Elle vit aujourd'hui à Bath avec son mari Ken Brown, lui-même illustrateur réputé, et leur chat. Auteur-illustrateur à temps plein, Ruth Brown travaille avec un grand souci du détail : chaque illustration est pour elle comme un tableau. Ruth Brown a créé et illustré plus de 30 livres dont *Une histoire sombre très sombre*, *Crapaud*, *Le Visiteur de Noël*, publiés chez Gallimard Jeunesse.